はじめに

　「介護」とは？　と問われると、簡単に言えば「情報を得る」「長期戦」「日々の生活」といったところでしょうか。このノートは、介護に関係する家族、もしくはご本人に役立つものです。実際、介護生活では行政手続きや通院など、要介護（支援）者もしくは虚弱高齢者自身の情報が、適宜、必要となります。

　その際に、このノートに書き留めておくと混乱することなく、改めて調べるといった手間も省けます。また、過去の情報を記入していくことで、振り返りながら介護生活をつづけていくことが可能となります。

　また、家族介護者の方にとっては、長い介護生活の記録などにも有益でしょう。介護生活は、楽しいこともあるかもしれませんが、辛いことも多々あります。心身ともに負担を感じ、限界に思うこともあるでしょう。そのようなときに、過去の介護生活の記録を振り返ることで、何らかの解決の糸口を見いだせるヒントを得ることもできるでしょう。また、実際に文字にすることで、自分なりの気づきが生まれることもあります。

　なお、このノートは、毎日書かなくてもかまいません。気づいたとき、書く必要があると思ったときに記入するのでもいいのです。書かなければと責務のように感じては、長くつづきません。自分のペースで少しずつ情報や記録をためていき、要介護者もしくは家族介護者オリジナルの記録を作成し、日々の介護生活、そして皆さまの健やかな暮らしにお役立てください。

監修
結城康博
（淑徳大学教授）

■ このノートの使い方

このノートは、介護している方の日々の体調や様子を記録したり、できなくなってきたことや服用した薬と症状の変化をまとめることで情報や状況を整理し、主治医やケアマネジャーなどへの説明をしやすくするものです。通所施設や家族間の情報共有にもご利用ください。ご自身の健康管理ノートとしてもお使いいただけます。

●日々の記録

体温、脈拍、血圧、体重を毎日計測しておくことは健康管理の基本です。朝食前など時間を決めて測ります。薬を服用したら□に✓して飲み忘れを防ぎましょう。

食事内容を記録しておくと栄養の偏りに気づきやすく、体調変化との関連を検討することもできます。排便の有無を記録しておくことも大切。便の状態や回数も書いておきます。

MEMO欄は体調や行動などで気になること、できなくなってきたこと、できていること、歩数や運動内容など自由に書きます。方眼を利用して線を引き、区切って見やすくしてもよいでしょう。

●変化やできなくなってきたことの記録

「日々の記録」から、変化してきたことやできなくなってきたことを書き出します。いつ頃からどんなことがあったか、大まかにでも書いておくと、主治医やケアマネジャー、家族に伝えられます。

●服用した薬と症状の記録

薬が変わった理由や、それによる症状の変化を書き留めておくと主治医などに説明する際、役立ちます。

●ひと目でわかる1年の記録

検診、ワクチン接種のほか、風邪、病気（手術、入院）など、1年のできごとをまとめると、健康状態をひと目で把握できます。ガイド点を使って線を引き、書き分けてもよいでしょう。

※各々のページは使い方の一例です。
　カラーペンなども使い、ご自由にお書きください。

日々の記録

11月 10日（木）		
体温　36.5℃	服用チェック　　□ ☑夕	MEMO
脈拍　63	☑朝　□	夕食後、自分の部屋に
血圧　124 / 77	□	1人で行かれなかった。
体重　60kg	□昼	着替え、寝つくまでの
【朝食】 ごはん、みそ汁、納豆　わかめ入り卵焼き		見守りもした。
【昼食】 にゅう麺　小松菜のおひたし		
【夕食】 ごはん、みそ汁、蒸しがれい、茶碗蒸し		
排便　㈲・無　1回　軟便		

変化やできなくなってきたことの記録

事柄	日にち／いつ頃	内容
手首の痛み	10月12日	左親指が母指CM関節症と診断。痛みでペットボトルのふたが開閉できないため、貼り薬やサポーターをさせる。 ＊2年前には、右親指が同じCM関節症と診断されている。

服用した薬と症状の記録

薬剤名	症状
●アムロジピン5mg ●トリクロルメチアジド1mg	夏季は2.5mgだったが、冬季は5mgになる。同時に、利尿作用のあるトリクロルメチアジドも処方された。血圧は安定している。

ひと目でわかる1年の記録

1月	4月	7月	10月
花粉症の薬を飲み始める(1/19)	白内障日帰り手術(4/8) 白内障日帰り手術(4/11)	整形外科受診	
2月	5月	8月	11月
歯科クリーニング 鼻炎が悪化。耳鼻科受診(2/6)		歯科クリーニング	インフルエンザワクチン接種
3月	6月	9月	12月
整形外科受診		区民健診 乳がん検診(2年に1回)	

月　　日（　　）

体温 _____
脈拍 _____
血圧 _____
体重 _____

服用チェック
□　　□夕
□朝　□
□
□昼
□

MEMO

【 朝食 】

【 昼食 】

【 夕食 】

排便　　有・無 _____

月　　日（　　）

体温 _____
脈拍 _____
血圧 _____
体重 _____

服用チェック
□　　□夕
□朝　□
□
□昼
□

MEMO

【 朝食 】

【 昼食 】

【 夕食 】

排便　　有・無 _____

月　　日（　　）

体温 _____
脈拍 _____
血圧 _____
体重 _____

服用チェック
□　　□夕
□朝　□
□
□昼
□

MEMO

【 朝食 】

【 昼食 】

【 夕食 】

排便　　有・無 _____

月　　日（　　）

体温 _____
脈拍 _____
血圧 _____
体重 _____

服用チェック
□　　□夕
□朝　□
□
□昼
□

MEMO

【 朝食 】

【 昼食 】

【 夕食 】

排便　　有・無 _____

月　　日（　　）

体温 _____

脈拍 _____

血圧 _____

体重 _____

服用チェック

□　　　□ 夕
□ 朝　　□
□
□ 昼
□

MEMO

【 朝食 】

【 昼食 】

【 夕食 】

排便　　有・無 _____

月　　日（　　）

体温 _____

脈拍 _____

血圧 _____

体重 _____

服用チェック

□　　　□ 夕
□ 朝　　□
□
□ 昼
□

MEMO

【 朝食 】

【 昼食 】

【 夕食 】

排便　　有・無 _____

月　　日（　　）

体温 ＿＿＿＿＿＿＿＿＿＿

脈拍 ＿＿＿＿＿＿＿＿＿＿

血圧 ＿＿＿＿＿＿＿＿＿＿

体重 ＿＿＿＿＿＿＿＿＿＿

服用チェック

□　　　□ 夕
□ 朝　□
□
□ 昼
□

MEMO

【朝食】

【昼食】

【夕食】

排便　　有・無 ＿＿＿＿＿＿＿＿＿＿＿＿＿＿

月　　日（　　）

体温 ＿＿＿＿＿＿＿＿＿＿

脈拍 ＿＿＿＿＿＿＿＿＿＿

血圧 ＿＿＿＿＿＿＿＿＿＿

体重 ＿＿＿＿＿＿＿＿＿＿

服用チェック

□　　　□ 夕
□ 朝　□
□
□ 昼
□

MEMO

【朝食】

【昼食】

【夕食】

排便　　有・無 ＿＿＿＿＿＿＿＿＿＿＿＿＿＿

月　　日（　　）

体温 ＿＿＿＿＿＿＿＿＿＿

脈拍 ＿＿＿＿＿＿＿＿＿＿

血圧 ＿＿＿＿＿＿＿＿＿＿

体重 ＿＿＿＿＿＿＿＿＿＿

服用チェック
☐　　　☐ 夕
☐ 朝　☐
☐
☐ 昼
☐

MEMO

【朝食】

【昼食】

【夕食】

排便　　有・無 ＿＿＿＿＿＿＿＿＿＿

月　　日（　　）

体温 ＿＿＿＿＿＿＿＿＿＿

脈拍 ＿＿＿＿＿＿＿＿＿＿

血圧 ＿＿＿＿＿＿＿＿＿＿

体重 ＿＿＿＿＿＿＿＿＿＿

服用チェック
☐　　　☐ 夕
☐ 朝　☐
☐
☐ 昼
☐

MEMO

【朝食】

【昼食】

【夕食】

排便　　有・無 ＿＿＿＿＿＿＿＿＿＿

月　　日（　　）

体温 _____

脈拍 _____

血圧 _____

体重 _____

服用チェック

□　　□ 夕
□ 朝　□
□
□ 昼
□

MEMO

【 朝食 】

【 昼食 】

【 夕食 】

排便　有・無 _____

月　　日（　　）

体温 _____

脈拍 _____

血圧 _____

体重 _____

服用チェック

□　　□ 夕
□ 朝　□
□
□ 昼
□

MEMO

【 朝食 】

【 昼食 】

【 夕食 】

排便　有・無 _____

月　　日　（　　）

体温 ＿＿＿＿＿＿＿＿＿＿

脈拍 ＿＿＿＿＿＿＿＿＿＿

血圧 ＿＿＿＿＿＿＿＿＿＿

体重 ＿＿＿＿＿＿＿＿＿＿

服用チェック
☐　　　☐ 夕
☐ 朝　☐
☐
☐ 昼
☐

MEMO

【 朝食 】

【 昼食 】

【 夕食 】

排便　　有・無 ＿＿＿＿＿＿＿＿＿＿

月　　日　（　　）

体温 ＿＿＿＿＿＿＿＿＿＿

脈拍 ＿＿＿＿＿＿＿＿＿＿

血圧 ＿＿＿＿＿＿＿＿＿＿

体重 ＿＿＿＿＿＿＿＿＿＿

服用チェック
☐　　　☐ 夕
☐ 朝　☐
☐
☐ 昼
☐

MEMO

【 朝食 】

【 昼食 】

【 夕食 】

排便　　有・無 ＿＿＿＿＿＿＿＿＿＿

月　　　日（　　　）

体温 _____

脈拍 _____

血圧 _____

体重 _____

【 朝食 】

【 昼食 】

【 夕食 】

排便　　有・無 _____

服用チェック

☐　　　☐ 夕
☐ 朝　 ☐
☐
☐ 昼
☐

MEMO

月　　　日（　　　）

体温 _____

脈拍 _____

血圧 _____

体重 _____

【 朝食 】

【 昼食 】

【 夕食 】

排便　　有・無

服用チェック

☐　　　☐ 夕
☐ 朝　 ☐
☐
☐ 昼
☐

MEMO

月　　日（　　）

体温 _____

脈拍 _____

血圧 _____

体重 _____

服用チェック

☐　　　☐ 夕
☐ 朝　☐
☐
☐ 昼
☐

MEMO

【 朝食 】

【 昼食 】

【 夕食 】

排便　　有・無 _____

月　　日（　　）

体温 _____

脈拍 _____

血圧 _____

体重 _____

服用チェック

☐　　　☐ 夕
☐ 朝　☐
☐
☐ 昼
☐

MEMO

【 朝食 】

【 昼食 】

【 夕食 】

排便　　有・無 _____

月　　日（　　）

体温 _____

脈拍 _____

血圧 _____

体重 _____

【 朝食 】

【 昼食 】

【 夕食 】

排便　　有・無 _____

服用チェック

☐　　　☐ 夕

☐ 朝　☐

☐

☐ 昼

☐

MEMO

月　　日（　　）

体温 _____

脈拍 _____

血圧 _____

体重 _____

【 朝食 】

【 昼食 】

【 夕食 】

排便　　有・無 _____

服用チェック

☐　　　☐ 夕

☐ 朝　☐

☐

☐ 昼

☐

MEMO

月　　　日　（　　　）

体温 ＿＿＿＿＿＿＿＿＿
脈拍 ＿＿＿＿＿＿＿＿＿
血圧 ＿＿＿＿＿＿＿
体重 ＿＿＿＿＿＿＿

服用チェック
☐　　☐夕
☐朝　☐
☐
☐昼
☐

MEMO

【朝食】

【昼食】

【夕食】

排便　　有・無 ＿＿＿＿＿＿＿＿＿

月　　　日　（　　　）

体温 ＿＿＿＿＿＿＿＿＿
脈拍 ＿＿＿＿＿＿＿＿＿
血圧 ＿＿＿＿＿＿＿
体重 ＿＿＿＿＿＿＿

服用チェック
☐　　☐夕
☐朝　☐
☐
☐昼
☐

MEMO

【朝食】

【昼食】

【夕食】

排便　　有・無 ＿＿＿＿＿＿＿＿＿

月　　日（　　）

体温 ＿＿＿＿＿＿＿＿＿＿

脈拍 ＿＿＿＿＿＿＿＿＿＿

血圧 ＿＿＿＿＿＿＿＿＿＿

体重 ＿＿＿＿＿＿＿＿＿＿

服用チェック
□　　　□ 夕
□ 朝　□
□
□ 昼
□

MEMO

【 朝食 】

【 昼食 】

【 夕食 】

排便　　有・無 ＿＿＿＿＿＿＿＿＿＿＿

月　　日（　　）

体温 ＿＿＿＿＿＿＿＿＿＿

脈拍 ＿＿＿＿＿＿＿＿＿＿

血圧 ＿＿＿＿＿＿＿＿＿＿

体重 ＿＿＿＿＿＿＿＿＿＿

服用チェック
□　　　□ 夕
□ 朝　□
□
□ 昼
□

MEMO

【 朝食 】

【 昼食 】

【 夕食 】

排便　　有・無 ＿＿＿＿＿＿＿＿＿＿＿

月　　日　（　　）

体温 _____

脈拍 _____

血圧 _____

体重 _____

服用チェック

□　　　□ 夕
□ 朝　　□
□
□ 昼
□

MEMO

【 朝食 】

【 昼食 】

【 夕食 】

排便　　有・無 _____

月　　日　（　　）

体温 _____

脈拍 _____

血圧 _____

体重 _____

服用チェック

□　　　□ 夕
□ 朝　　□
□
□ 昼
□

MEMO

【 朝食 】

【 昼食 】

【 夕食 】

排便　　有・無 _____

月　　日（　　）

体温 ＿＿＿＿＿＿＿＿＿＿
脈拍 ＿＿＿＿＿＿＿＿＿＿
血圧 ＿＿＿＿＿＿＿＿＿＿
体重 ＿＿＿＿＿＿＿＿＿＿

服用チェック
□　　　□夕
□朝　□
□
□昼
□

MEMO

【 朝食 】

【 昼食 】

【 夕食 】

排便　　有・無 ＿＿＿＿＿＿＿＿＿＿

月　　日（　　）

体温 ＿＿＿＿＿＿＿＿＿＿
脈拍 ＿＿＿＿＿＿＿＿＿＿
血圧 ＿＿＿＿＿＿＿＿＿＿
体重 ＿＿＿＿＿＿＿＿＿＿

服用チェック
□　　　□夕
□朝　□
□
□昼
□

MEMO

【 朝食 】

【 昼食 】

【 夕食 】

排便　　有・無 ＿＿＿＿＿＿＿＿＿＿

月　　　日（　　　）

体温 _____

脈拍 _____

血圧 _____

体重 _____

服用チェック
□　　□ 夕
□ 朝　□
□
□ 昼
□

MEMO

【 朝食 】

【 昼食 】

【 夕食 】

排便　　有・無 _____

月　　　日（　　　）

体温 _____

脈拍 _____

血圧 _____

体重 _____

服用チェック
□　　□ 夕
□ 朝　□
□
□ 昼
□

MEMO

【 朝食 】

【 昼食 】

【 夕食 】

排便　　有・無 _____

月　　日（　　）

体温 _____

脈拍 _____

血圧 _____

体重 _____

服用チェック

□　　　□ 夕
□ 朝　　□
□
□ 昼
□

MEMO

【 朝食 】

【 昼食 】

【 夕食 】

排便　　有・無 _____

月　　日（　　）

体温 _____

脈拍 _____

血圧 _____

体重 _____

服用チェック

□　　　□ 夕
□ 朝　　□
□
□ 昼
□

MEMO

【 朝食 】

【 昼食 】

【 夕食 】

排便　　有・無 _____

月　　日（　　）

体温 _____
脈拍 _____
血圧 _____
体重 _____

服用チェック
☐　　☐ 夕
☐ 朝　☐
☐
☐ 昼
☐

MEMO

【 朝食 】

【 昼食 】

【 夕食 】

排便　　有・無 _____

月　　日（　　）

体温 _____
脈拍 _____
血圧 _____
体重 _____

服用チェック
☐　　☐ 夕
☐ 朝　☐
☐
☐ 昼
☐

MEMO

【 朝食 】

【 昼食 】

【 夕食 】

排便　　有・無 _____

月　　日（　　）

体温 _____

脈拍 _____

血圧 _____

体重 _____

服用チェック

☐　　☐夕
☐朝　☐
☐
☐昼
☐

MEMO

【 朝食 】

【 昼食 】

【 夕食 】

排便　　有・無 _____

月　　日（　　）

体温 _____

脈拍 _____

血圧 _____

体重 _____

服用チェック

☐　　☐夕
☐朝　☐
☐
☐昼
☐

MEMO

【 朝食 】

【 昼食 】

【 夕食 】

排便　　有・無 _____

月　　日（　　）

体温 _____

脈拍 _____

血圧 _____

体重 _____

服用チェック

☐　　☐ 夕
☐ 朝　☐
☐
☐ 昼
☐

MEMO

【 朝食 】

【 昼食 】

【 夕食 】

排便　　有・無 _____

月　　日（　　）

体温 _____

脈拍 _____

血圧 _____

体重 _____

服用チェック

☐　　☐ 夕
☐ 朝　☐
☐
☐ 昼
☐

MEMO

【 朝食 】

【 昼食 】

【 夕食 】

排便　　有・無 _____

月　　日（　　）

体温 _____

脈拍 _____

血圧 _____

体重 _____

服用チェック

□　　　□ 夕
□ 朝　□
□
□ 昼
□

MEMO

【 朝食 】

【 昼食 】

【 夕食 】

排便　　有・無 _____

月　　日（　　）

体温 _____

脈拍 _____

血圧 _____

体重 _____

服用チェック

□　　　□ 夕
□ 朝　□
□
□ 昼
□

MEMO

【 朝食 】

【 昼食 】

【 夕食 】

排便　　有・無 _____

月　　　日　（　　　）

体温 _____

脈拍 _____

血圧 _____

体重 _____

服用チェック
□　　□ 夕
□ 朝　□
□
□ 昼
□

MEMO

【 朝食 】

【 昼食 】

【 夕食 】

排便　　有・無 _____

月　　　日　（　　　）

体温 _____

脈拍 _____

血圧 _____

体重 _____

服用チェック
□　　□ 夕
□ 朝　□
□
□ 昼
□

MEMO

【 朝食 】

【 昼食 】

【 夕食 】

排便　　有・無 _____

月　　日（　　）

体温 _____

脈拍 _____

血圧 _____

体重 _____

服用チェック

☐　　　☐ 夕
☐ 朝　☐
☐
☐ 昼
☐

MEMO

【 朝食 】

【 昼食 】

【 夕食 】

排便　　有・無 _____

月　　日（　　）

体温 _____

脈拍 _____

血圧 _____

体重 _____

服用チェック

☐　　　☐ 夕
☐ 朝　☐
☐
☐ 昼
☐

MEMO

【 朝食 】

【 昼食 】

【 夕食 】

排便　　有・無 _____

月　　日（　　）

体温 _____

脈拍 _____

血圧 _____

体重 _____

服用チェック

□　　□夕
□朝　□
□
□昼
□

MEMO

【朝食】

【昼食】

【夕食】

排便　有・無 _____

月　　日（　　）

体温 _____

脈拍 _____

血圧 _____

体重 _____

服用チェック

□　　□夕
□朝　□
□
□昼
□

MEMO

【朝食】

【昼食】

【夕食】

排便　有・無 _____

月　　日（　　）

体温 ＿＿＿＿＿＿＿＿＿
脈拍 ＿＿＿＿＿＿＿＿＿
血圧 ＿＿＿＿＿＿＿＿＿
体重 ＿＿＿＿＿＿＿＿＿

服用チェック
☐　　☐ 夕
☐ 朝　☐
☐
☐ 昼
☐

MEMO

【 朝食 】

【 昼食 】

【 夕食 】

排便　　有・無

月　　日（　　）

体温 ＿＿＿＿＿＿＿＿＿
脈拍 ＿＿＿＿＿＿＿＿＿
血圧 ＿＿＿＿＿＿＿＿＿
体重 ＿＿＿＿＿＿＿＿＿

服用チェック
☐　　☐ 夕
☐ 朝　☐
☐
☐ 昼
☐

MEMO

【 朝食 】

【 昼食 】

【 夕食 】

排便　　有・無

月　　　日（　　　）

体温 _____
脈拍 _____
血圧 _____
体重 _____

服用チェック
□　　□夕
□朝　□
□
□昼
□

MEMO

【 朝食 】

【 昼食 】

【 夕食 】

排便　　有・無 _____

月　　　日（　　　）

体温 _____
脈拍 _____
血圧 _____
体重 _____

服用チェック
□　　□夕
□朝　□
□
□昼
□

MEMO

【 朝食 】

【 昼食 】

【 夕食 】

排便　　有・無 _____

月　　日（　　）

体温 _____

脈拍 _____

血圧 _____

体重 _____

服用チェック

□　　□ 夕
□ 朝　□
□
□ 昼
□

MEMO

【 朝食 】

【 昼食 】

【 夕食 】

排便　　有・無 _____

月　　日（　　）

体温 _____

脈拍 _____

血圧 _____

体重 _____

服用チェック

□　　□ 夕
□ 朝　□
□
□ 昼
□

MEMO

【 朝食 】

【 昼食 】

【 夕食 】

排便　　有・無 _____

月　　日（　　）

体温 _____

脈拍 _____

血圧 _____

体重 _____

服用チェック

☐　　☐ 夕
☐ 朝　☐
☐
☐ 昼
☐

MEMO

【 朝食 】

【 昼食 】

【 夕食 】

排便　　有・無 _____

月　　日（　　）

体温 _____

脈拍 _____

血圧 _____

体重 _____

服用チェック

☐　　☐ 夕
☐ 朝　☐
☐
☐ 昼
☐

MEMO

【 朝食 】

【 昼食 】

【 夕食 】

排便　　有・無 _____

月　　日　（　　）

体温 _____

脈拍 _____

血圧 _____

体重 _____

服用チェック

☐　　☐ 夕
☐ 朝　☐
☐
☐ 昼
☐

MEMO

【 朝食 】

【 昼食 】

【 夕食 】

排便　　有・無 _____

月　　日　（　　）

体温 _____

脈拍 _____

血圧 _____

体重 _____

服用チェック

☐　　☐ 夕
☐ 朝　☐
☐
☐ 昼
☐

MEMO

【 朝食 】

【 昼食 】

【 夕食 】

排便　　有・無 _____

月　　　日　（　　　）

体温 _____
脈拍 _____
血圧 _____
体重 _____

服用チェック
☐　　☐夕
☐朝　☐
☐
☐昼
☐

MEMO

【 朝食 】

【 昼食 】

【 夕食 】

排便　　有・無 _____

月　　　日　（　　　）

体温 _____
脈拍 _____
血圧 _____
体重 _____

服用チェック
☐　　☐夕
☐朝　☐
☐
☐昼
☐

MEMO

【 朝食 】

【 昼食 】

【 夕食 】

排便　　有・無 _____

月　　日（　　）

体温 _____

脈拍 _____

血圧 _____

体重 _____

服用チェック
□　　□ 夕
□ 朝　□
□
□ 昼
□

MEMO

【 朝食 】

【 昼食 】

【 夕食 】

排便　　有・無 _____

月　　日（　　）

体温 _____

脈拍 _____

血圧 _____

体重 _____

服用チェック
□　　□ 夕
□ 朝　□
□
□ 昼
□

MEMO

【 朝食 】

【 昼食 】

【 夕食 】

排便　　有・無 _____

月　　　日（　　）

体温 _____
脈拍 _____
血圧 _____
体重 _____

服用チェック
☐　　　☐ 夕
☐ 朝　☐
☐
☐ 昼
☐

MEMO

【朝食】

【昼食】

【夕食】

排便　　有・無

月　　　日（　　）

体温 _____
脈拍 _____
血圧 _____
体重 _____

服用チェック
☐　　　☐ 夕
☐ 朝　☐
☐
☐ 昼
☐

MEMO

【朝食】

【昼食】

【夕食】

排便　　有・無

月　　日（　　）

体温 _____

脈拍 _____

血圧 _____

体重 _____

服用チェック

☐　　　☐夕
☐朝　☐
☐
☐昼
☐

MEMO

【朝食】

【昼食】

【夕食】

排便　　有・無 _____

月　　日（　　）

体温 _____

脈拍 _____

血圧 _____

体重 _____

服用チェック

☐　　　☐夕
☐朝　☐
☐
☐昼
☐

MEMO

【朝食】

【昼食】

【夕食】

排便　　有・無 _____

月　　日（　　）

体温 ＿＿＿＿＿＿＿＿＿＿＿

脈拍 ＿＿＿＿＿＿＿＿＿＿＿

血圧 ＿＿＿＿＿＿＿＿＿＿＿

体重 ＿＿＿＿＿＿＿＿＿＿＿

服用チェック

☐　　☐ 夕
☐ 朝　☐
☐
☐ 昼
☐

MEMO

【 朝食 】

【 昼食 】

【 夕食 】

排便　　有・無 ＿＿＿＿＿＿＿＿＿

月　　日（　　）

体温 ＿＿＿＿＿＿＿＿＿＿＿

脈拍 ＿＿＿＿＿＿＿＿＿＿＿

血圧 ＿＿＿＿＿＿＿＿＿＿＿

体重 ＿＿＿＿＿＿＿＿＿＿＿

服用チェック

☐　　☐ 夕
☐ 朝　☐
☐
☐ 昼
☐

MEMO

【 朝食 】

【 昼食 】

【 夕食 】

排便　　有・無 ＿＿＿＿＿＿＿＿＿

月　　日（　　）

体温 _____
脈拍 _____
血圧 _____
体重 _____

服用チェック
□　　　□ 夕
□ 朝　□
□
□ 昼
□

MEMO

【 朝食 】

【 昼食 】

【 夕食 】

排便　　有・無 _____

月　　日（　　）

体温 _____
脈拍 _____
血圧 _____
体重 _____

服用チェック
□　　　□ 夕
□ 朝　□
□
□ 昼
□

MEMO

【 朝食 】

【 昼食 】

【 夕食 】

排便　　有・無 _____

月　　日　（　　）

体温 _____
脈拍 _____
血圧 _____
体重 _____

服用チェック
☐　　　☐ 夕
☐ 朝　☐
☐
☐ 昼
☐

MEMO

【 朝食 】

【 昼食 】

【 夕食 】

排便　　有 ・ 無 _____

月　　日　（　　）

体温 _____
脈拍 _____
血圧 _____
体重 _____

服用チェック
☐　　　☐ 夕
☐ 朝　☐
☐
☐ 昼
☐

MEMO

【 朝食 】

【 昼食 】

【 夕食 】

排便　　有 ・ 無 _____

月　　日（　　）

体温 _____

脈拍 _____

血圧 _____

体重 _____

服用チェック

□　　□ 夕
□ 朝　□
□
□ 昼
□

MEMO

【朝食】

【昼食】

【夕食】

排便　　有・無 _____

月　　日（　　）

体温 _____

脈拍 _____

血圧 _____

体重 _____

服用チェック

□　　□ 夕
□ 朝　□
□
□ 昼
□

MEMO

【朝食】

【昼食】

【夕食】

排便　　有・無 _____

月　　　日（　　　）

体温 _____
脈拍 _____
血圧 _____
体重 _____

服用チェック
□　　　□夕
□朝　　□
□
□昼
□

MEMO

【 朝食 】

【 昼食 】

【 夕食 】

排便　　有・無 _____

　　　月　　　日（　　　）

体温 _____
脈拍 _____
血圧 _____
体重 _____

服用チェック
□　　　□夕
□朝　　□
□
□昼
□

MEMO

【 朝食 】

【 昼食 】

【 夕食 】

排便　　有・無 _____

月　　日（　　）

体温 _____
脈拍 _____
血圧 _____
体重 _____

服用チェック
□　　　□夕
□朝　　□
□
□昼
□

MEMO

【朝食】

【昼食】

【夕食】

排便　　有・無

月　　日（　　）

体温 _____
脈拍 _____
血圧 _____
体重 _____

服用チェック
□　　　□夕
□朝　　□
□
□昼
□

MEMO

【朝食】

【昼食】

【夕食】

排便　　有・無

月　　　日（　　）

体温 _____
脈拍 _____
血圧 _____
体重 _____

服用チェック
☐　　☐夕
☐朝　☐
☐
☐昼
☐

MEMO

【朝食】

【昼食】

【夕食】

排便　　有・無 _____

　　　月　　　日（　　）

体温 _____
脈拍 _____
血圧 _____
体重 _____

服用チェック
☐　　☐夕
☐朝　☐
☐
☐昼
☐

MEMO

【朝食】

【昼食】

【夕食】

排便　　有・無 _____

月　　日（　　）

体温 _____

脈拍 _____

血圧 _____

体重 _____

服用チェック

☐　　　☐ 夕
☐ 朝　☐
☐
☐ 昼
☐

MEMO

【朝食】

【昼食】

【夕食】

排便　　有・無 _____

月　　日（　　）

体温 _____

脈拍 _____

血圧 _____

体重 _____

服用チェック

☐　　　☐ 夕
☐ 朝　☐
☐
☐ 昼
☐

MEMO

【朝食】

【昼食】

【夕食】

排便　　有・無 _____

月　　　日（　　）

体温 _____

脈拍 _____

血圧 _____

体重 _____

服用チェック

☐　　☐ 夕
☐ 朝　☐
☐
☐ 昼
☐

MEMO

【 朝食 】

【 昼食 】

【 夕食 】

排便　　有・無 _____

月　　　日（　　）

体温 _____

脈拍 _____

血圧 _____

体重 _____

服用チェック

☐　　☐ 夕
☐ 朝　☐
☐
☐ 昼
☐

MEMO

【 朝食 】

【 昼食 】

【 夕食 】

排便　　有・無 _____

月　　日 （　　）

体温 _____

脈拍 _____

血圧 _____

体重 _____

服用チェック

☐　　☐ 夕
☐ 朝　☐
☐
☐ 昼
☐

MEMO

【朝食】

【昼食】

【夕食】

排便　　有 ・ 無 _____

月　　日 （　　）

体温 _____

脈拍 _____

血圧 _____

体重 _____

服用チェック

☐　　☐ 夕
☐ 朝　☐
☐
☐ 昼
☐

MEMO

【朝食】

【昼食】

【夕食】

排便　　有 ・ 無 _____

月　　　日（　　　）

体温 _____

脈拍 _____

血圧 _____

体重 _____

服用チェック

☐　　☐夕
☐朝　☐
☐
☐昼
☐

MEMO

【朝食】

【昼食】

【夕食】

排便　有・無 _____

月　　　日（　　　）

体温 _____

脈拍 _____

血圧 _____

体重 _____

服用チェック

☐　　☐夕
☐朝　☐
☐
☐昼
☐

MEMO

【朝食】

【昼食】

【夕食】

排便　有・無 _____

月　　日　（　　）

体温 _____

脈拍 _____

血圧 _____

体重 _____

服用チェック
□　　　□夕
□朝　□
□
□昼
□

MEMO

【 朝食 】

【 昼食 】

【 夕食 】

排便　　有・無 _____

月　　日　（　　）

体温 _____

脈拍 _____

血圧 _____

体重 _____

服用チェック
□　　　□夕
□朝　□
□
□昼
□

MEMO

【 朝食 】

【 昼食 】

【 夕食 】

排便　　有・無 _____

月　　日（　　）

体温 _____

脈拍 _____

血圧 _____

体重 _____

服用チェック

☐　　☐夕
☐朝　☐
☐
☐昼
☐

MEMO

【 朝食 】

【 昼食 】

【 夕食 】

排便　　有・無 _____

月　　日（　　）

体温 _____

脈拍 _____

血圧 _____

体重 _____

服用チェック

☐　　☐夕
☐朝　☐
☐
☐昼
☐

MEMO

【 朝食 】

【 昼食 】

【 夕食 】

排便　　有・無 _____

月　　日　（　　）

体温 _____

脈拍 _____

血圧 _____

体重 _____

服用チェック

☐　　　☐夕
☐朝　☐
☐
☐昼
☐

MEMO

【 朝食 】

【 昼食 】

【 夕食 】

排便　　有・無 _____

月　　日　（　　）

体温 _____

脈拍 _____

血圧 _____

体重 _____

服用チェック

☐　　　☐夕
☐朝　☐
☐
☐昼
☐

MEMO

【 朝食 】

【 昼食 】

【 夕食 】

排便　　有・無 _____

月　　日（　　）

体温 _____

脈拍 _____

血圧 _____

体重 _____

服用チェック

☐　　　☐ 夕
☐ 朝　☐
☐
☐ 昼
☐

MEMO

【 朝食 】

【 昼食 】

【 夕食 】

排便　　有・無 _____

月　　日（　　）

体温 _____

脈拍 _____

血圧 _____

体重 _____

服用チェック

☐　　　☐ 夕
☐ 朝　☐
☐
☐ 昼
☐

MEMO

【 朝食 】

【 昼食 】

【 夕食 】

排便　　有・無 _____

変化やできなくなってきたことの記録

事 柄	日にち／いつ頃	内 容

事　柄	日にち／いつ頃	内　容

服用した薬と症状の記録

薬剤名	症状

薬剤名	症状

パーソナルデータ

フリガナ		生年月日			
名前	男・女	明・大・昭・平	年	月	日

身長 cm	体重 kg	血液型 型	平熱 ℃	血圧 /	靴のサイズ cm

健康保険証	種 類	被保険者番号	自己負担割合

介護保険証	番 号	要介護区分	有効期限	自己負担割合

障害者手帳	都道府県	級

マイナンバーカード 運転免許証 （運転経歴免許証）	マイナンバーカード 番号	運転免許証（運転経歴免許証）番号	運転免許証有効期限

公的年金	種 類	基礎年金番号

成年後見制度	任意後見 後見・保佐・補助	後見人など

難病指定	病 名	かかった年（歳）	治療方法

聴力・視力・ 麻痺	聞こえやすさ・補聴器の使用有無など	眼鏡の使用有無など	麻痺 無・有

生活習慣病	無・有	病名・治療法など

関節などの 病気	無・有	病名・治療法など

体調で 気になること	

アレルギー	認知症	遺伝性の病気
無・有	無・有	無・有

メディカルデータ

●現在服用している薬について

薬剤名	剤形(色)	服用量(/回)	服用時間	用 途	処方した病院

●病歴・けが

病 名	かかった年(歳)	治療方法

●自立度

歩行(杖・車椅子の使用有無)	会話(意思疎通の有無)	食事(介助の有無・咀嚼状況)	排泄(便通・失禁について)
ポータブルトイレ・おむつ(使用有無)	着替え(介助の有無)	入浴・歯磨き(介助の有無)	睡眠について

各種連絡先

●かかりつけ医・病院・医院

	ＴＥＬ	（	）
	休診日		
	ＴＥＬ	（	）
	休診日		
	ＴＥＬ	（	）
	休診日		
	ＴＥＬ	（	）
	休診日		
	ＴＥＬ	（	）
	休診日		
	ＴＥＬ	（	）
	休診日		
	ＴＥＬ	（	）
	休診日		

●役所の相談窓口	ＴＥＬ	（	）

●地域包括支援センター	ＴＥＬ	（	）

●ケアマネジャー	ＴＥＬ	（	）

●その他

	ＴＥＬ	（	）
	ＴＥＬ	（	）
	ＴＥＬ	（	）
	ＴＥＬ	（	）
	ＴＥＬ	（	）

緊急連絡先

●名前・関係

	TEL ( )
	TEL ( )
	TEL ( )
	TEL ( )
	TEL ( )
	TEL ( )
	TEL ( )
	TEL ( )
	TEL ( )
	TEL ( )
	TEL ( )
	TEL ( )
	TEL ( )
	TEL ( )
	TEL ( )
	TEL ( )

ひと目でわかる1年の記録

1月

4月

2月

5月

3月

6月

7月

10月

8月

11月

9月

12月

きっとラクになる
介護読本
130人のリアルな声から

――――――――――――――――――――――――

婦人之友社編　A5判　208ページ
1,870円（税込）

――――――――――――――――――――――――

［内容から］

巻頭のことば　樋口恵子

さまざまな介護のかたち

介護のはじまり

在宅介護の工夫

認知症の家族との暮らし

施設での介護のかたち

マンガ「介護のココロ」　古野崎ちち子

介護のもやもやとの向き合い方

答える人：結城康博

ご購入はこちらから
お願いします。

監修　結城康博
装丁・デザイン　矢作裕佳（sola design）
装画・イラスト　河村ふうこ
本文レイアウト　アトリエMontan

結城康博（ゆうき やすひろ）
淑徳大学総合福祉学部教授。社会福祉士、
ケアマネジャー、介護福祉士、保育士。
地域包括支援センター、民間居宅介護支援
事業所勤務後現職。

安心 ケアノート

2023年5月30日　発行

著作者　婦人之友社書籍編集部
発行所　婦人之友社
〒171-8510　東京都豊島区西池袋2-20-16
電話 03-3971-0101
https://www.fujinnotomo.co.jp

印刷・製本　シナノ書籍印刷株式会社
© Fujin-no-Tomo-Sha 2023 Printed in Japan　ISBN978-4-8292-1007-9